de Bibliotheek
Breda Ce
D0674242

Survivalgids voor papa's

Survivalgids voor papa's

MARTYN COX

Oorspronkelijke titel:
New Father's Survival Guide

Hoofd vormgeving: Toni Kay
Fotoresearch: Emily Westlake
Productie: Toby Marshall
Artdirector: Leslie Harrington
Uitgever: Alison Starling

Nederlandstalige uitgave:

Vertaling: Frederike Plaggemars/Vitataal
Redactie en productie: Vitataal, Feerwerd
Opmaak: De ZrIJ, Utrecht
Omslagontwerp: Ton Wienbelt, Den Haag

ISBN 978 90 483 0314 4

2e druk 2011

Voor meer informatie: www.veltman-uitgevers.nl

inhoud

inleiding

Of je nu al jaren op jezelf woont of een tijd met iemand samenleeft, het vaderschap zal je leven hoe dan ook drastisch veranderen. Dat is natuurlijk prachtig, maar tegelijkertijd misschien ook een beetje beangstigend. Tot nu toe draaide je leven in feite alleen om jou, maar straks heb je een gezin om voor te zorgen en zal elke dag nieuwe uitdagingen met zich meebrengen.

Het is misschien ontzettend cliché, maar toch is het helemaal waar wanneer ouders beweren dat een baby hun leven volledig veranderd heeft. Vanaf het eerste moment dat je naar je kindje kijkt, zul je een natuurlijke behoefte voelen het te beschermen. En door dit enorme verantwoordelijkheidsgevoel kan het leven dat je tot dusver leidde ineens onbeduidend en oppervlakkig lijken.

Om de overgang van het leven als stel naar het leven als gezin zo soepel mogelijk te laten verlopen (hoewel dit waarschijnlijk nooit helemaal zonder horten en stoten gaat), zijn er tal van zaken die je al voor de geboorte kunt regelen. Hoe ga je om met de komst van een klein persoontje dat jouw leven totaal op z'n kop zet? Mijn advies: wees voorbereid!

Ikzelf ben vader van twee kinderen. Tijdens de eerste zwangerschap van mijn partner, waaruit onze zoon geboren werd, wist ik van toeten noch blazen en knoeide ik maar wat aan. Maar toen ze voor de tweede keer in verwachting was, van onze dochter, voelde ik me al een echte expert. Natuurlijk is elke geboorte anders, maar met mijn kennis uit de eerste hand en adviezen van bevriende vaders hoop ik aanstaande vaders een beetje op weg te kunnen helpen.

Dit boekje is niet bedoeld als alternatief voor medische naslagwerken of opvoedingsboeken. Ik ben geen kinderpsycholoog of opvoedkundige, ik ben maar een gewone vader die hoopt je van dienst te kunnen zijn met een aantal realistische en praktische tips.

Naast advies over hoe je jezelf kunt voorbereiden in de aanloop naar de geboorte en wat je kunt verwachten als de baby er eenmaal is, geef ik je praktische informatie over hoe je je auto uitrust en het huis babyproof maakt.

Gefeliciteerd met je aankomende vaderschap. Geniet van deze roerige, maar vooral fantastische tijd!

plannen en voorbereiden

vooruit-denken

Goed gedaan: je wordt vader! Klinkt goed, hè… maar je zult ook beseffen dat je afscheid zult moeten nemen van je relatieve vrijheid en je vertrouwde leven.

Je hebt nog even voor het zover is, maar je zult zien dat de tijd voorbijvliegt: voor je het weet, kijk je in de ogen van je baby. Sommige mannen bereiden zich niet of nauwelijks voor op hun aanstaande vaderschap. Het kan echter behoorlijk ontnuchterend werken wanneer de baby er eenmaal is en je helemaal niets weet.

De maanden voor de uitgerekende datum zijn een leuke en dankbare periode. Gebruik ze om tijd met je partner door te brengen, om te praten over de toekomst – en bespreek ook je eventuele zorgen. Deze maanden zijn er ook om voorbereidingen te treffen. Overleg met elkaar waar de bevalling zal plaatsvinden en ga aan de slag met de inrichting van de babykamer. Denk ook vast na over een nieuwe wagen… in de vorm van een buggy wel te verstaan!

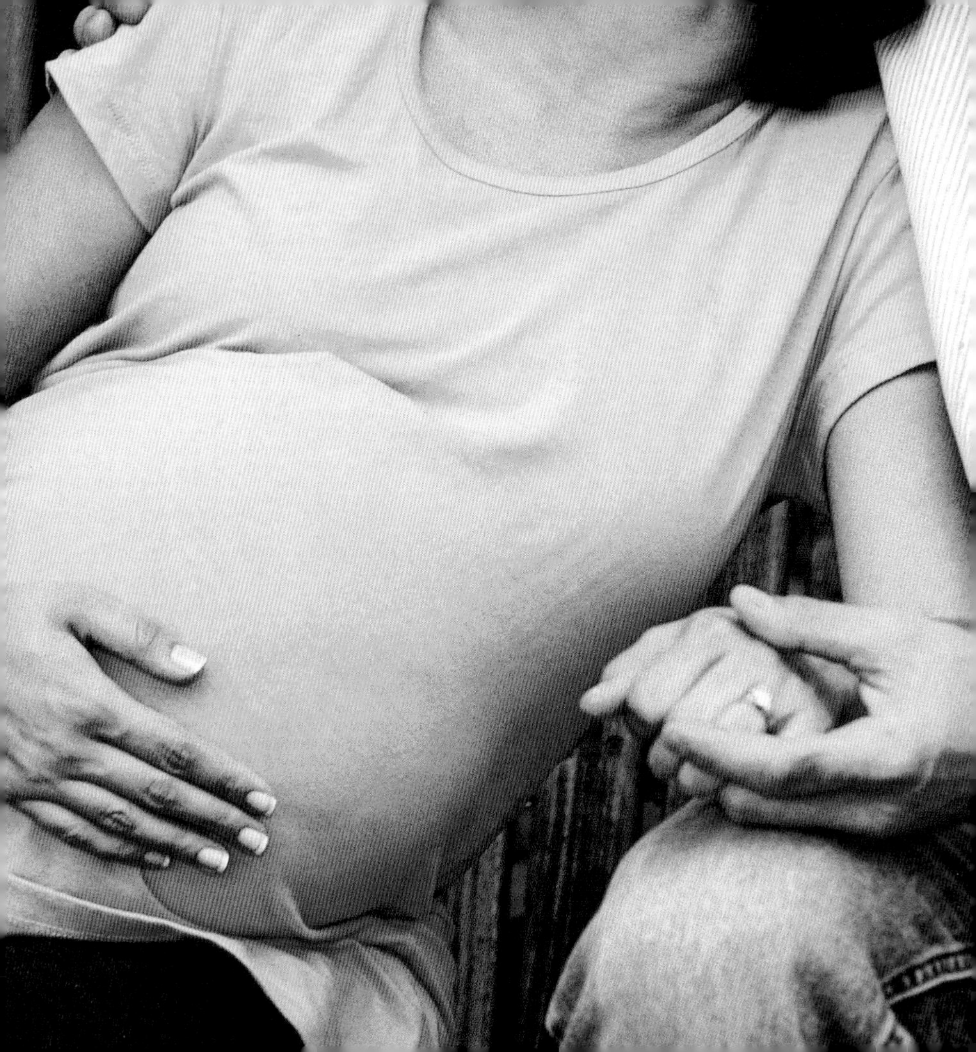

belangrijke keuzes

Jullie besluiten waarschijnlijk samen waar de bevalling zal plaatsvinden, maar omdat je vrouw of partner degene zal zijn die het zware werk verricht, is het tactvoller (en eerlijker) om haar mening zwaarder te laten wegen. Over het algemeen heb je de keuze tussen een thuis- en ziekenhuisbevalling. Regel in elk geval bijtijds kraamzorg. Het voordeel van een thuisbevalling is dat je je in je eigen vertrouwde omgeving bevindt. In dat geval moet je wel een aantal voorbereidingen treffen, zoals het huren van bijvoorbeeld een bedverhoger of een speciaal bad (als jullie kiezen voor een onderwaterbevalling).

Hebben jullie gekozen voor het ziekenhuis, vraag je huisarts of verloskundige dan welk ziekenhuis zijn of haar voorkeur heeft en waarom. Je kunt ook enkele zieken-

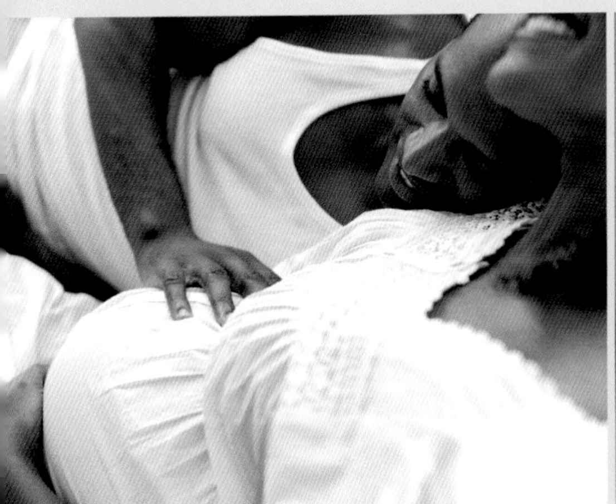

huizen samen bezoeken. Laat je informeren over de mogelijkheden en neem alvast een kijkje in de verloskamers en op de kraamafdeling. Aan het eind van zo'n bezoek kun je je vaak al een goed beeld vormen en weet je of je al dan niet in het betreffende ziekenhuis wilt bevallen.

Laat je niet altijd afschrikken door een eerste indruk. Een verloskundige van een van de ziekenhuizen die wij bezochten, gaf aan dat ze 'geen flauwekul van vaders duldde', waarmee ze zich bij mij niet erg populair maakte. Maar diezelfde verloskundige was aanwezig bij de geboorte van onze zoon en bleek uiterst kundig, behulpzaam en aardig te zijn.

Vraag ook naar de mening en ervaringen van vrienden of buren met kinderen. Kies liever geen ziekenhuis op grote afstand. Je zult er tijdens de zwangerschap een paar keer naartoe moeten voor echo's of bloedonderzoek, en als de weeën eenmaal losgebarsten zijn, is het niet fijn als je nog een heel stuk moet rijden.

echoscopie

Dankzij echoscopie kun je de baby in de buik zien lang voordat je hem of haar kunt vasthouden. De eerste echo vindt meestal plaats rond de tien weken. De echoscopist kijkt dan of alles goed is met de baby, of hij of zij zich goed ontwikkelt, enz. De tweede echo wordt rond de twintig weken aangeboden. Er wordt dan onder meer gekeken of de baby goed groeit en of er voldoende vruchtwater aanwezig is.

Door verplichtingen op mijn werk kon ik niet bij de echo's van mijn eerste kind zijn en moest ik het doen met een vage foto van de foetus, waar ik eerlijk gezegd niets mee kon. Toch wist ik mezelf ervan te overtuigen dat ik een glimlach zag. Bij de echo's van mijn tweede kind was ik er wel bij! Het was een emotionele ervaring om die piepkleine armpjes en beentjes op het scherm te zien bewegen. Voor het eerst wordt die bult in de buik van je partner een echte baby! Enne… huilen mag!

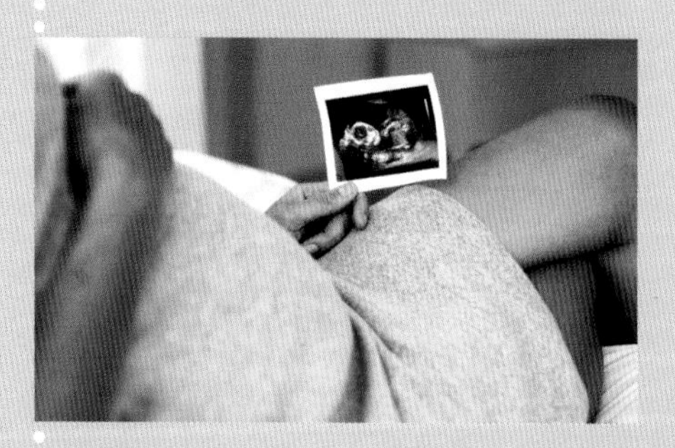

Bij de tweede echo kan de echoscopist misschien vertellen of het een jongen of meisje is. Wil je het geslacht weten of juist niet? Wij wilden het niet weten, maar andere aanstaande ouders willen dat soms juist wel – mede uit praktische overwegingen. Als je het niet wilt weten, meld dit dan voor de zekerheid van tevoren. Het zal meestal wel gevraagd worden, maar je weet maar nooit… straks flapt de echoscopist het er per ongeluk uit.

leesvoer

In de boekhandel staan de rekken vol met boeken over zwangerschap, geboorte en opvoeding. Een van die boeken – of misschien wel een hele stapel – vindt vermoedelijk de weg naar jouw huis en dan rijst ongetwijfeld de vraag: moet ik het lezen of niet? Ik kan je in alle eerlijkheid vertellen dat ik geen letter heb gelezen en dat heb overgelaten aan mijn partner, die een hele bibliotheek verslonden heeft. Waarom heb ik geen boek gelezen? Niet omdat ik egoïstisch was en mijn plichten verzuimde, eerder omdat mijn partner dat wat ze las trouw aan mij doorgaf. Mondelinge overlevering werkt dus nog steeds!

Maar alle gekheid op een stokje: het lezen van een boek over zwangerschap en bevallen is helemaal geen slecht idee. Je toont interesse en je weet wat je partner doormaakt. Ook begrijp je beter waar de verloskundige of huisarts het over heeft wanneer hij of zij vaktaal gebruikt.

En als je baby er eenmaal is, kan een boek met kinderziekten en -kwaaltjes heel goed van pas komen.

weer naar school

Heb je al lang je schooldiploma op zak en denk je dat je wel uitgeleerd bent, dan heb je het mis. Zeker als je nog helemaal geen ervaring hebt met bevallingen en baby's, is het verstandig je zo goed mogelijk voor te bereiden op de komst van je baby en kennis te vergaren.

Misschien kies je ervoor helemaal niets te doen en gewoon te vertrouwen op je instinct. Maar vooral tijdens

de eerste weken na de geboorte komt er geheid een moment dat je je machteloos, bezorgd of onzeker voelt. Het is dan ook verstandig om samen met je partner een zwangerschapscursus te volgen, zodat je enig idee krijgt van wat je allemaal te wachten staat.

Deze cursussen lijken trouwens helemaal niet op school. Ze zijn heel informeel, de groepjes zijn klein en je hoeft niet je vinger op te steken als je naar de wc moet. Er zijn allerlei soorten cursussen mogelijk. Bij je huisarts, verloskundige of het consultatiebureau kun je terecht voor informatie. Kies samen een cursus uit die het best bij jullie past.

Tijdens deze cursussen leer je wat je kunt verwachten voor, tijdens en na de bevalling. Jullie krijgen allerlei nuttige tips en leren ademhalings- en ontspanningsoefeningen, en ook massagetechnieken waarmee je je partner tijdens het eerste deel van de bevalling kunt ondersteunen. Nog een voordeel is dat

je andere vaders in spe ontmoet die bij je in de buurt wonen en met wie je misschien vrienden kunt worden.

Ben je om de een of andere reden niet in staat om samen met je partner een zwangerschapscursus te volgen, dan kunnen jullie ook kiezen voor een cursus waar bijvoorbeeld maar één keer een partneravond georganiseerd wordt. Als je echt geen zin hebt in dit soort cursussen, neem dan wel de moeite om eens rond te kijken op internet. Hier vind je tal van informatiesites, forums, chatboxen en blogs. Heb je een vraag, laat dan een boodschap achter en wacht het antwoord af van andere lezers.

Je kunt het je op dit moment waarschijnlijk niet voorstellen, vooral als jullie al jaren bij elkaar zijn, maar zodra je een gezin vormt, is het moeilijk je te herinneren hoe het was toen jullie nog met z'n tweetjes waren. Natuurlijk kijken jullie uit naar het komende gezinsleven, maar vergeet niet de laatste weken als koppel samen intensief te beleven.

Hebben jullie de babyspullen gekocht, de kinderkamer ingericht en plannen gemaakt omtrent de bevalling, dan wordt het hoog tijd dat jullie je even op elkaar richten. Grijp de kans om samen te genieten van de rust en van elkaar – voordat de stress en de slapeloze nachten van het ouderschap toeslaan – met beide handen aan. Plan bijvoorbeeld een lang weekend of boek nog snel even een vakantie naar het buitenland. Een geheel nieuw fenomeen is de babymoon: een soort honeymoon voor aanstaande ouders.

Breng tijd met elkaar door als stel, maar vergeet ook vrienden en collega's niet. Wanneer de baby er eenmaal is, is het moeilijk je oude leventje op dezelfde manier voort te zetten. Jouw hulp zal dan thuis hard nodig zijn. En al geeft je partner je even de ruimte om uit te gaan, dan wil je waarschijnlijk zo snel mogelijk weer naar huis om bij je gezinnetje te zijn!

met z'n tweeën

het 'vluchtpakket'

Zwangere vrouwen wordt geadviseerd een zogenoemd vluchtkoffertje klaar te zetten voor een (eventuele) ziekenhuisopname met daarin kleding, babykleertjes en toiletspullen. Het is een goed idee voor de aanstaande vader om een eigen 'vluchtpakketje' klaar te maken. Dit kun je het beste al een paar weken voor de bevalling doen, zodat je niet als een dolle op het allerlaatste moment spullen bij elkaar moet zoeken wanneer je partner zegt dat ze NU naar het ziekenhuis moet. De kans is groot dat je dan dingen vergeet.

Natuurlijk heb je geld nodig. Bij de meeste ziekenhuizen moet je gewoon parkeergeld betalen, dus zorg voor veel kleingeld. Muntgeld is ook handig voor het kopen van snacks en drankjes uit automaten: wellicht de enige mogelijkheid als je midden in de nacht in het ziekenhuis aankomt en coffeeshops en ziekenhuiswinkels gesloten zijn.

En natuurlijk heb je een mobiele telefoon nodig om vrienden en familie op de hoogte te houden. Zorg dat je alle belangrijke nummers voorgeprogrammeerd hebt, zo voorkom je dat je familieleden vergeet, zoals je schoonouders. Ze zullen je nooit vergeven als zij de laatsten zijn die te horen krijgen dat ze opa en oma zijn geworden.

Maak een telefoonboom. Daarmee breng je op een heel eenvoudige en snelle manier heel veel mensen op de hoogte van de geboorte van jullie kindje. Bel twee mensen (bijvoorbeeld ouders en schoonouders), die op hun beurt weer twee andere mensen bellen, enz. Het samenstellen van zo'n boom kost wat tijd, maar het is een waterdicht systeem dat voorkomt dat er mensen worden vergeten – en dus beledigd.

Een fototoestel of camcorder is onmisbaar om de eerste kostbare momenten met je baby vast te leggen. Een boek of tijdschrift is nuttig voor de rustige ogenblikken. Maar ga als de bevalling eenmaal goed op gang is nooit uitgebreid achterover zitten, boek op schoot, voeten omhoog en een kop koffie erbij. Dat is uit den boze! Je zult geen tijd hebben voor een douche in het ziekenhuis, dus neem wat toiletspullen mee om je op te frissen. Tandenborstel, tandpasta en deodorant zijn voldoende.

Smeer indien mogelijk wat broodjes of maak vast een lunchpakketje klaar dat je zo uit de koelkast kunt graaien als jullie halsoverkop naar het ziekenhuis moeten. Je partner wordt in het ziekenhuis van eten en drinken voorzien, maar jij moet waarschijnlijk voor jezelf zorgen.

Als de bevalling lang duurt en je partner je nodig heeft om haar gerust te stellen en aan te moedigen, krijg je niet de kans even een snack te halen in de ziekenhuishal.

steun en toeverlaat

Tijdens de bevalling kunnen er momenten zijn dat je je een nutteloze, machteloze toeschouwer voelt, maar wees niet bang: de aanstaande moeder is heel blij met je aanwezigheid. Het zware werk wordt natuurlijk door haar verricht, maar jij speelt ook een heel belangrijke rol, want je geeft haar zowel geestelijke als lichamelijke steun.

Je brengt haar glaasjes water, bevochtigt haar voorhoofd met een nat doekje en geeft haar voet-, schouder- of handmassages om de aandacht af te leiden van de pijn. Tijdens de laatste fase van de bevalling, de zogenoemde overgangsfase, kun je haar helpen de concentratie te richten op het wegpuffen van de weeën. Geef haar je hand, waarin ze tijdens een hevige wee heel hard kan knijpen.

Tijdens de geboorte van mijn eerste kind moest ik zelfs als beugel dienen (die van de verloskamer was kwijtgeraakt) en het linkerbeen van mijn partner ondersteunen. De kans is klein dat dit jou ook overkomt, maar houd rekening met onverwachte wendingen…

Hebben jullie gekozen voor een ziekenhuisbevalling, dan bevinden jullie je in een vreemde, onbekende omgeving. Jouw vertrouwde gezicht geeft je partner een gevoel van veiligheid, zodat ze zich beter kan concentreren. Ook al ben je een beetje overweldigd door alles wat er gebeurt, blijf praten. Moedig je partner aan, stel haar gerust en vertel haar hoe goed ze het allemaal doet. Die zwangerschapscursus komt nu toch wel goed van pas!

je baby voor het eerst ontmoeten

Je hebt vast wel eens een moment meegemaakt dat heftige emoties bij je losmaakte. Voor mij was dat toen ik mijn rijbewijs haalde nadat ik vijf keer was gezakt. Ik was helemaal in de wolken na al die jaren worstelen. Maar niets is te vergelijken met het moment dat je voor het eerst je baby ziet.

Na negen lange maanden van wachten, van het aanschaffen van de kleertjes en de uitzet, van voorbereidingen treffen, van zien hoe de buik van je partner groeit en van het voelen van de eerste schopjes, is het moment dat je je kindje voor het eerst ziet de opwindendste, aangrijpendste ervaring die je ooit zult meemaken – dat beloof ik je.

Voor mij was er ook een enorm gevoel van opluchting. Bevallingen lopen niet altijd even soepel en onze zoon raakte in moeilijkheden, met als gevolg dat de verloskundige razendsnel een keizersnede moest regelen. Ik hield mijn partners hand vast terwijl een team van chirurgen de keizersnede uitvoerde en stond doodsangsten uit toen de verloskun-

dige het kleine lijfje oppakte en meteen aan een reanimatieteam overhandigde. Hij was helemaal stil en zijn lichaam was slapjes. Ik was zo bang dat er iets mis zou zijn en barstte in tranen uit toen ik eindelijk zijn eerste kreetje hoorde.

De momenten vlak na de geboorte zijn de mooiste die je ooit zult beleven. Die van mij bestonden uit het vasthouden en kijken naar mijn zoon, een kostbaar, piepklein mensje gewikkeld in een dekentje, terwijl mijn partner werd gehecht en naar een bed in de recoverkamer werd gebracht. Daar werd onze baby in haar armen gelegd.

Het was onze eerste keer samen als gezin: een heel rustgevend, ontspannen moment vergeleken met de angstige ogenblikken die we daarvoor hadden beleefd.

als het anders loopt…

Als de baby in het ziekenhuis geboren is, willen jullie natuurlijk zo snel mogelijk naar huis om een start te maken met jullie nieuwe leven als gezin. Wanneer alles soepel verloopt, zal je partner binnen één tot twee dagen uit het ziekenhuis worden ontslagen. Als er helemaal geen problemen zijn en de bevalling goed is gegaan, misschien zelfs eerder.

Maar als er complicaties zijn of als je partner een keizersnede heeft gehad, dan zul je even geduld moeten hebben. Ze zal dan een aantal dagen in het ziekenhuis moeten blijven tot de artsen tevreden zijn over het herstel.

Meestal blijft een vrouw na een keizersnede drie tot vier nachten in het ziekenhuis, of zelfs langer als zijzelf of de dokter denkt dat er meer tijd nodig is voor haar herstel. Als de keizersnede niet in de planning lag en jullie compleet heeft verrast, hebben jullie geen tijd gehad om na te denken wat te doen onder dergelijke omstandigheden.

Je hebt deze periode waarschijnlijk ouderschapsverlof of vakantiedagen opgenomen. Het is belangrijk dat je je partner en kindje dagelijks bezoekt, zodat ook jouw hechtingsproces (bonding) met de baby goed verloopt en je je partner alle mogelijke steun geeft.

Je vertoeft mogelijk het liefst van 's morgens vroeg tot 's avonds laat bij je vrouw en kind, maar dan komt je partner niet tot rust – en jij ook niet. Beter is om twee keer op een dag op bezoek te gaan.

Ga bijvoorbeeld 's morgens een paar uurtjes en 's middags weer, en pak in de tussentijd wat huishoudelijke karweitjes op. Je wilt je partner als ze naar huis mag natuurlijk niet in een rommeltje ontvangen, met stapels was- en strijkgoed. Ze is nog steeds heel moe en zal zich vooral bezighouden met jullie prachtige kindje.

een nieuw leven

een nieuw begin

Je baby is geboren en er staat jullie een heerlijke, opwindende tijd samen te wachten. Je zult in deze nieuwe episode van je leven echter ook te maken krijgen met onbekende gevoelens en nieuwe taken. Maar geen nood: er is niets wat je niet aankunt. Blijf in deze eerste, spannende weken goed communiceren met je partner, houd rekening met onverwachte situaties en geniet van je nieuwe verantwoordelijkheden als vader.

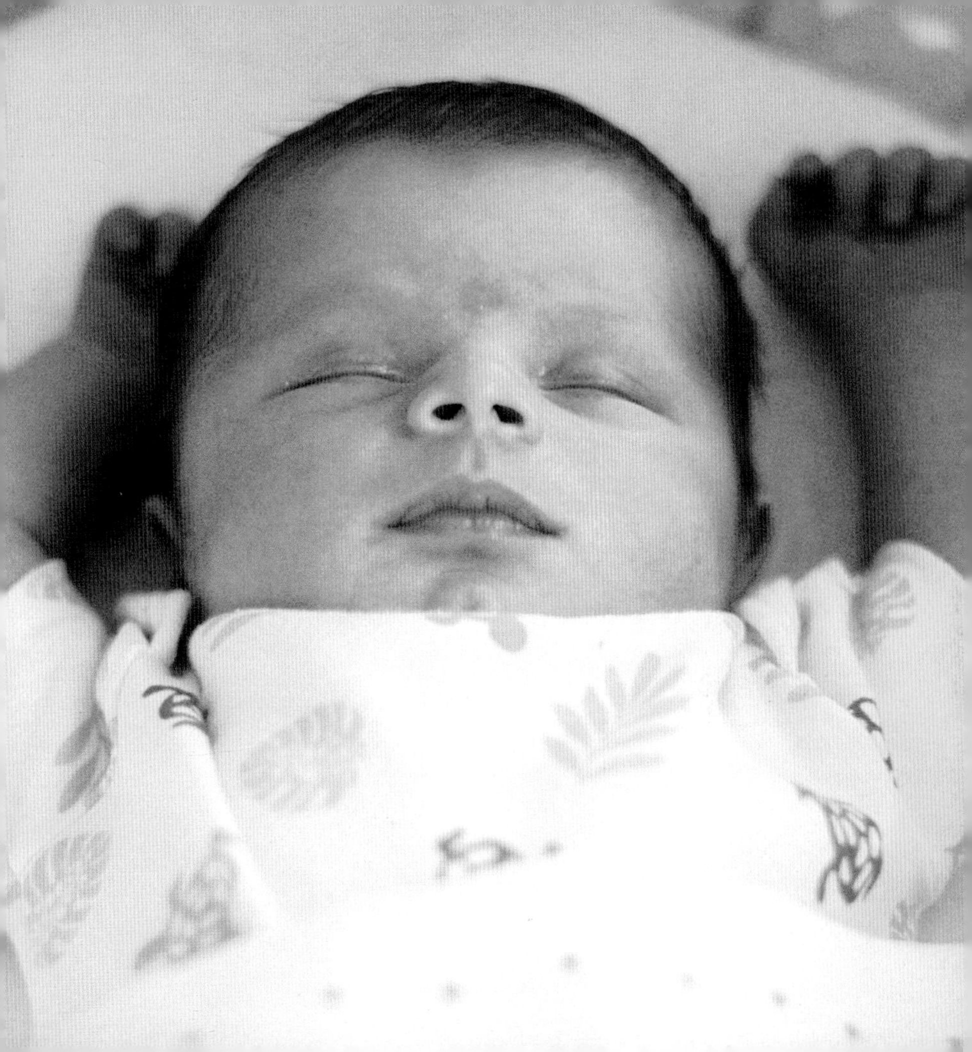

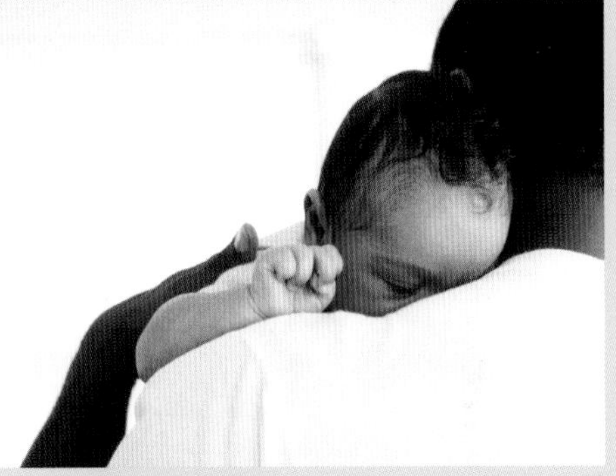

je baby vasthouden

Veel vaders vinden het een beetje griezelig om hun kindje voor het eerst vast te pakken: hij of zij ziet er zo klein en fragiel uit. Maar het is een vaardigheid die je al snel onder de knie zult hebben.

Er zijn allerlei manieren om een baby vast te houden, maar dit is een van de eenvoudigste: houd je kindje tegen je aan, laat het hoofdje en nekje rusten in de hoek van je elleboog en ondersteun met je andere arm de billetjes. Zo kunnen jullie elkaar in de ogen kijken. Pasgeborenen hebben behoefte aangeraakt en vastgehouden te worden. Vooral huidcontact vinden ze heerlijk. Dus trek je shirt uit en houd je kindje tegen je aan. Misschien herinner je je die sepiafoto met de titel ‘Man and Baby’ waarvan er wereldwijd vijf miljoen zijn verkocht en waarop een gespierde man staat die teder een baby wiegt. Lang niet naar de sportschool geweest? Geen zorgen, wel of geen wasbord, het maakt je kindje niet uit.

een mooi begin

Na de bevalling heb je waarschijnlijk recht op wat vrije dagen, die je de tijd geven je kindje te leren kennen. De regelingen hieromtrent verschillen van land tot land en de duur van het verlof hangt ook van de werkgever af. Sommige werkgevers geven je langer dan de norm of staan toe dat je vakantiedagen opneemt (zorg er wel voor dat je niet in het begin alles opneemt zodat je voor later weinig overhoudt). Ben je eigen baas, dan weet je hoeveel dagen vrij je je kunt veroorloven.

Ouderschapsverlof is een geweldige kans om vertrouwd te raken met de nieuwe situatie en de verzorging van je kindje samen met je partner te delen. Je kunt je baby in bad doen, een wandeling maken, verschonen, knuffelen, naar bed brengen... Krijgt jullie baby de fles, dan kun je je kindje ook voeden. Geeft je partner borstvoeding, dan is dit niet mogelijk, maar je kunt best je steentje bijdragen en zorgen dat je bij het proces betrokken wordt. Til je kindje bijvoorbeeld op om een boertje te laten of help bij het aanleggen. Na een aantal weken kan je partner melk afkolven, zodat ook jij een flesje kunt geven.

In de periode dat je nog thuis bent, zal je partner je heel dankbaar zijn als je af en toe de handen uit de mouwen steekt en huishoudelijke karweitjes aanpakt. Doe de afwas, maak de bedden op, draai een was en ruim het huis op.

Dit is vooral belangrijk als je partner een keizersnede heeft gehad, want in dat geval duurt het zeker nog weken voordat ze weer helemaal de oude is. Je zult ook als een soort 'portier' moeten optreden. Zodra je partner en baby thuis zijn, willen familie, vrienden, collega's en buren op kraamvisite komen. Jij bent degene die een en ander in goede banen moet leiden, zodat het allemaal niet te veel wordt voor moeder en kind.

Deze eerste dagen vliegen voorbij. Probeer het grootste deel van de tijd samen als gezin door te brengen, zodat je in alle rust aan elkaar kunt wennen en je straks prachtige herinneringen (en foto's) hebt.

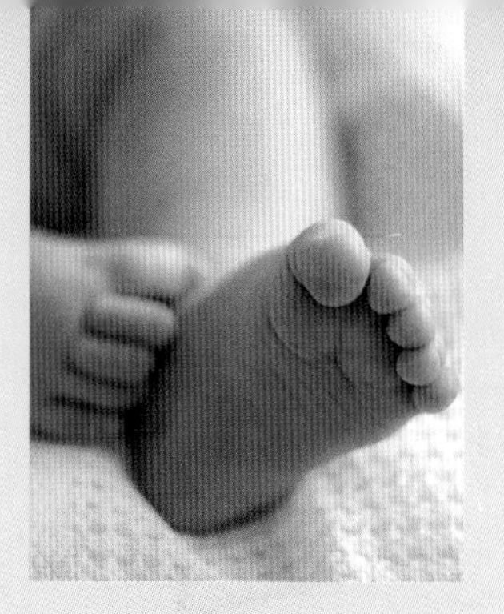

weer aan het werk

Het zal niet meevallen om weer naar je werk te gaan. Je zult de heerlijke momenten met je baby missen en maakt je in het begin misschien best zorgen of je partner en kind het zonder jou wel redden. Het kan even duren voordat je je normale ritme weer te pakken hebt.

De eerste dag is het zwaarst: iedereen feliciteert je, overstelpt je met vragen, komt met eigen babyverhalen en wil natuurlijk foto's zien (dus zorg dat je die bij je hebt).

En dan moet je aan het werk... en dat lukt dus niet. Je bent te moe en kunt alleen maar glazig naar het computerscherm staren. Het lukt je niet om je baby uit je hoofd te zetten en je wilt het liefst elke vijf minuten bellen om te vragen hoe het gaat. Er zit niets anders op dan dat je je zo goed en zo kwaad als het gaat door de dag worstelt. Geef jezelf een schouderklopje als je 'pas' in de lunchpauze belt.

Het is gemakkelijker gezegd dan gedaan, maar probeer moeder en kind naar de achtergrond te verplaatsen, en je weer op je werk te concentreren. Heus, het wordt allemaal weer beter. Wil je na een aantal maanden nog steeds het liefst dolgraag thuis zijn, overleg dan of het mogelijk is een tijdje parttime of op flexibele tijden te gaan werken.

slaapgebrek

Op het werk herken je kersverse ouders meteen: ze komen steevast iets te laat, ze hebben rooddoorlopen vermoeide ogen, ze zien er ietwat slonzig uit en ze laten vaak een enorme gaap horen wanneer ze achter hun bureau neerploffen. Helaas hoort slaapgebrek bij het nieuwe vaderschap. Je bent volledig afhankelijk van het ritme van je kindje. Wanneer het honger heeft, zal het dat met oorverdovend gehuil duidelijk maken en pas stoppen als het krijgt wat het wil. In het begin word je 's nachts ongeveer om de twee uur gewekt, afhankelijk van het slaapritme (of het gebrek eraan) van je kind.

Misschien val je tussen de voedingen door weer in slaap, maar het kan ook zijn dat je heel licht slaapt en constant alert bent. Ikzelf ben nooit zo'n diepe slaper geweest en vind het heel moeilijk de slaap weer te vatten als ik eenmaal wakker ben geworden.

Toen mijn beide kinderen nog baby's waren, verkeerde ik dagen, weken, zelfs maanden in een roes van vermoeidheid.

Uitputting is nog net te hebben tijdens ouderschapsverlof of in het weekend, maar dit katerige gevoel kun je op je werk nou net niet gebruiken. Enkele weken na de geboorte van mijn eerste kind woonde ik op het werk een twee uur durende vergadering bij. Aan het eind besefte ik me dat ik helemaal niets gezegd had en ook geen idee had wat er besproken was.

Gelukkig hadden de meeste van mijn collega's zelf kinderen en wisten ze precies hoe ik me voelde. Heb je een sympathieke baas, dan is het wellicht verstandig hem of haar uit te leggen waarom je er niet altijd voor de volle honderd procent bij bent, maar helaas zijn niet alle managers even begripvol.

Volgens deskundigen hebben volwassenen tussen de zeven en negen uur slaap nodig. Kersverse ouders moeten het in het eerste levensjaar van hun kindje echter met heel wat minder slaapuurtjes doen. Door slaapgebrek functioneert het brein niet optimaal, vermindert de concentratie en ben je minder goed in staat problemen op te lossen. Bovendien kun je humeurig worden.

Dus wat te doen? Het is begrijpelijk dat je niets wilt missen en je partner wilt helpen, maar het kan geen kwaad af en toe eens een nachtje in een andere kamer te slapen, zodat je op je werk en thuis alerter bent. Krijgt jullie kindje de fles, wissel de 'nachtdiensten' dan af, zodat jullie om de andere nacht heerlijk ongestoord door kunnen slapen.

Zit je er nog middenin, dan lijkt het soms of er nooit een einde aan zal komen, maar gelukkig duurt dit slaapgebrek niet eeuwig. Sommige baby's slapen na een maand of drie de hele nacht door, of in elk geval perioden van vijf, zes uur achter elkaar. Voor je het weet, voel je je fitter en helderder en heb je eindelijk weer het gevoel dat je van nut bent op je werk.

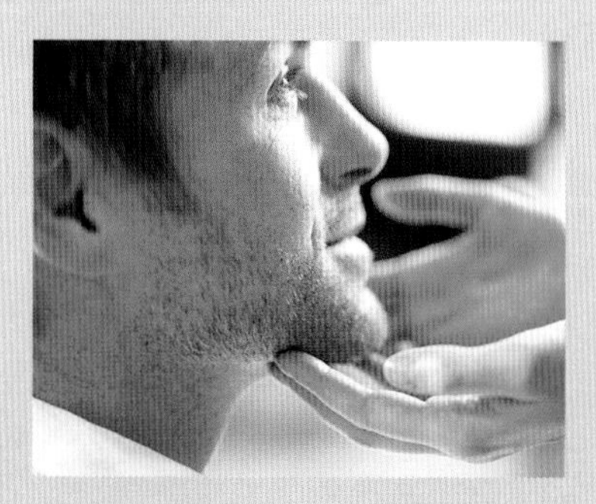

omgaan met je schoonmoeder

Misschien kunnen jij en je schoonmoeder het prima met elkaar vinden, in dat geval: gefeliciteerd. Maar het kan ook zijn dat de sfeer te snijden is als zij op bezoek komt.

Bij de meeste mannen ligt de waarheid ergens in het midden... Je vindt het waarschijnlijk prima dat je schoonmoeder af en toe langskomt, maar je voelt

vermoedelijk niet de behoefte te veel 'qualitytime' met elkaar door te brengen.

Helaas voor degenen met een stroeve relatie met hun schoonmoeder heeft de geboorte van een baby vaak tot gevolg dat dochter en moeder elkaar wat vaker opzoeken. Hoewel je met dit idee mogelijk niet zo gelukkig bent, is het de wens van je partner die nu telt.

Zij vindt het waarschijnlijk heerlijk om in deze fase van haar leven haar eigen moeder in de buurt te hebben, die haar de beginselen van het moederschap bijbrengt en natuurlijk helpt waar ze kan.

Het kan heel handig zijn om je schoonmoeder af en toe in huis te hebben, maar je zit er niet op te wachten dat ze zich met de opvoeding gaat bemoeien. Tijden veranderen en het is heel goed mogelijk dat je schoonmoeder er wat ouderwetse ideeën op na houdt – wat betekent dat je allerlei goedbedoelde adviezen naar je hoofd krijgt waar je niet om gevraagd hebt. Ook kun je commentaar op het slaapritme, de voeding en dergelijke verwachten.

Er zijn echter manieren om met een lastige schoonmoeder om te gaan. Je kunt met kleine presentjes of een gezellig gesprek bij een kopje koffie proberen bij haar in het gevlij te komen. Of bijt gewoon op je tong en blijf aardig wanneer ze vervelend doet. Doe je best: blijf lachen, neem de situatie zoals ze is… en wacht rustig af tot ze weer naar huis gaat.

Als je schoonmoeder van plan is om te komen logeren, plan die periode dan vanaf het moment dat jij weer aan het werk gaat. Dan kan ze je partner helpen en zitten jullie niet constant op elkaars lip.

De meeste mannen zijn zich ervan bewust dat een baby hun leven drastisch zal veranderen, maar er zijn ook mannen die denken dat ze gewoon op de oude voet door kunnen gaan. Ik zou iedere aanstaande vader willen aanmoedigen om het vaderschap met open armen te ontvangen en te accepteren dat zijn oude leventje tot het verleden behoort.

Heb je mooie jaren gehad als vrijgezel en vervolgens genoten van je leven als koppel, dan ben je nu helemaal klaar voor het vaderschap. Een kind betekent het begin van een heel nieuwe, bevredigende en opwindende periode van je leven.

een ander leven

Accepteer dat alles anders zal zijn en stel ook je prioriteiten bij. Natuurlijk is het belangrijk je vrienden af en toe te ontmoeten, maar je gezin komt nu op de eerste plaats. Dat betekent dat je niet meer zomaar in een spontane bui meegaat naar het café of een voetbalwedstrijd. En krijg je van je partner het groene licht, maak daar dan geen misbruik van.

Toen ik net vader was, bleven vrienden me vragen of ik na het werk met hen een borrel ging drinken. Meestal sloeg ik de uitnodiging af, niet alleen omdat ik me verplicht voelde naar huis te gaan, maar ook omdat ik heel graag wilde weten hoe het die dag met mijn zoon was gegaan. Na een tijdje werden de uitnodigingen minder en voelde ik me een beetje buitengesloten. Maar de meesten van deze vrienden hebben inmiddels zelf kinderen. Dus als we nu bij elkaar komen, zijn de kids vaak van de partij.

Moet je weer aan het werk, dan ben je misschien best een beetje jaloers op je partner, die nog heerlijk thuis kan blijven om voor de baby te zorgen. Maar vergis je niet: veel moeders hebben tijd nodig om te herstellen van de bevalling en zijn doodop wanneer de baby een onrustige dag heeft gehad. Dus al heb je acht uur gewerkt, ga dan toch niet meteen na thuiskomst uitgebreid de krant zitten lezen. Kijk eerst wat er in huis gebeuren moet, zoals een was draaien of het eten voorbereiden. Of sta 's morgens een halfuurtje eerder op om wat huishoudelijke karweitjes te verrichten en vast een kopje thee te zetten.

Je partner heeft echter niet alleen behoefte aan huishoudelijke hulp. Mogelijk heeft ze die dag nog geen vijf minuten voor zichzelf gehad, dus geef haar de ruimte en bekommer je om de baby terwijl zij een lekker warm bad neemt of een welverdiend dutje doet.

hand-en-spandiensten

geef je over

Ik las ooit een interview met een filmster die vol trots verkondigde dat hij bij geen van de bevallingen van zijn vier kinderen was geweest en nog nooit een luier had verschoond. Ongelofelijk! Hij moet het natuurlijk helemaal zelf weten (als dit in goed overleg met zijn partner is gebeurd...), maar ik vind dat een dergelijke ouderwetse houding tegenover het vaderschap niet past in onze verlichte 21e eeuw.

Luiers verschonen, de baby in bad doen, aankleden, voeden... tijdens al deze dagelijks terugkerende rituelen breng je kostbare tijd met je baby door en kan zich een emotionele band tussen jou en je kindje ontwikkelen. En je partner heeft even haar handen vrij.

Bovendien geven deze taken je voldoening en leiden ze soms tot grappige incidenten, waarmee je je kindje later kunt plagen... niet dat je dat wilt natuurlijk!

Het is niet altijd zijn machohouding die een man in de weg zit – bij de verzorging van de baby – soms is het iets totaal onlogisch. Zo nam een vriend van me graag de zorg voor zijn eerste kind, een zoon, op zich, maar voelde hij zich heel onzeker

na de geboorte van zijn dochter. Hij had geen enkele ervaring met meisjes en vond het zelfs een beetje eng om zijn kleine meisje op te tillen. Mijn advies in dergelijke gevallen: probeer je over je angsten heen te zetten en geef je eraan over!

Onze kinderen zijn maar zo'n korte tijd baby en je krijgt nooit meer die unieke kans om dat vroege hechtingsproces (bonding) mee te maken.

de luierexpert…

Ooit gedacht dat je de inhoud van een luier van dichtbij wilde bekijken? Vanaf nu heb je geen keuze. Je zult de ontlasting van je kindje controleren en zien dat die steeds weer anders is. Je zult het al snel heel normaal vinden de poep van je baby te beoordelen, die qua kleur en substantie afhankelijk is van leeftijd en voeding, maar die ook een waarschuwingssignaal kan zijn als er iets mis is.

De eerste paar dagen na de geboorte is de ontlasting kleverig en groenachtig zwart. Dit is meestal niet iets om je zorgen over te maken. Het is een teken dat het lichaampje goed functioneert, omdat het meconium – een substantie die zich in de loop van de zwangerschap heeft gevormd in de darmen van de baby – wordt verwijderd. Maar is de ontlasting van je kindje in een later stadium en langer dan een etmaal donkergroen, dan kun je het beste even contact opnemen met je huisarts. De verkleurde ontlasting kan het gevolg zijn van te veel lactose, te veel of te weinig voeding, maar ook van een maag-darminfectie.

Kinderen die borstvoeding krijgen hebben de ene dag een mosterdgroene ontlasting en de andere dag gele met groene spikkeltjes. De textuur is vaak wat korrelig. Fleskinderen hebben vaak een wat dikkere ontlasting, maar ook hier kan de kleur variëren van lichtgeel tot bruin.

Hoe onwaarschijnlijk het ook lijkt, je zult al snel alle tinten en texturen van de ontlasting van je baby herkennen en weten wat ze betekenen. Over het algemeen is een verandering niets om je zorgen over te maken, maar bel gerust je huisarts als je twijfelt, en vooral als je kindje diarree heeft.

als je baby zich niet lekker voelt…

Voordat de baby er was, hoefde je eigenlijk alleen maar op jezelf te letten. Elke verkoudheid, infectie of hoofdpijn ging vanzelf weer over met een paar dagen bedrust of een kuurtje. Niets om je echt zorgen over te maken. Maar aangezien je baby nog niet kan vertellen wat hem of haar dwarszit, jij die enorme drang hebt je kindje te beschermen en je een leek bent op medisch gebied, breekt het angstzweet je mogelijk al uit wanneer je baby wat vaker niest dan normaal.

Deze reactie is heel begrijpelijk en heel veel ouders leggen veel meer bezoekjes dan nodig is af aan de huisarts. Toen mijn kinderen nog klein waren, zaten we geregeld bij de huisartsenpost. Mijn zoon kreeg vaak plotseling hoge koorts die niet wilde zakken, huilde ontroostbaar of moest opeens heftig over-

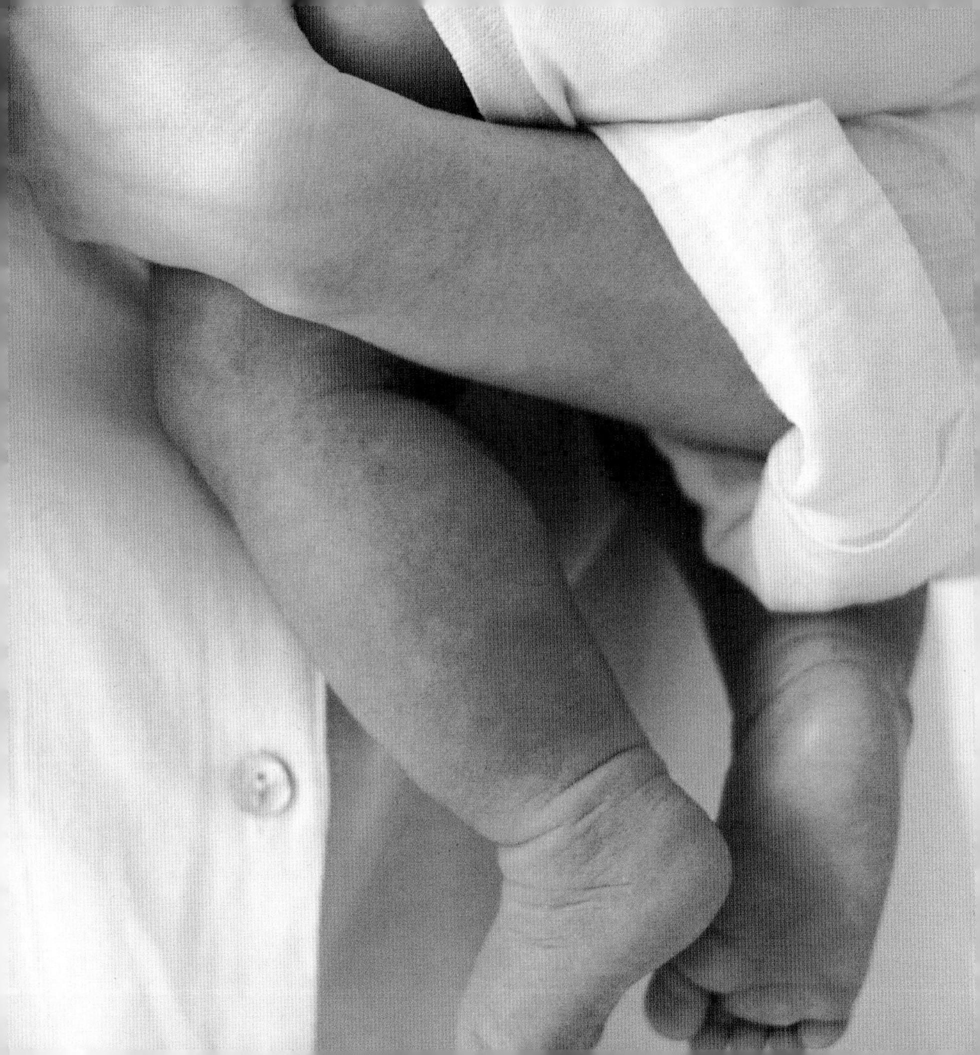

geven. En altijd vond dit laat op de avond plaats. Zodra we er ons dan van overtuigd hadden dat het nu echt goed mis was, belden we toch maar weer de huisartsenpost of reden we rechtstreeks naar de eerste hulp.

Natuurlijk was er vaak niet meer aan de hand dan een lichte oor- of keelontsteking. We kregen medicijnen mee of er werd ons verteld dat het vanzelf weer over zou gaan. Ik voelde me er wel eens ongemakkelijk bij, maar ik heb er geen seconde spijt van. Liever een keer te vaak dan te weinig naar de huisarts en de meeste artsen kunnen zich heel goed verplaatsen in de angsten van jonge ouders.

Voelt je baby zich niet lekker, dan kun je er ook een medische encyclopedie op naslaan. Zorg er wel voor dat het boek up-to-date is en foto's bevat, zodat je symptomen gemakkelijker kunt herkennen.

je financiën

Hadden jij en je partner allebei een fulltimebaan voordat de baby kwam, dan ben je waarschijnlijk gewend aan een vrij comfortabele levensstandaard. Maar gaat je partner met ouderschapsverlof (of gaat ze parttime of helemaal niet meer werken), dan gaat jullie gezamenlijke inkomen flink omlaag. Deze verandering kan van grote invloed zijn op je financiële situatie en sommige gezinnen vinden het erg moeilijk om het met een lager inkomen te moeten stellen.

Het is dan ook verstandig om de geldzaken goed met elkaar door te nemen: bekijk wat er inkomt en uit gaat. Bekijk ook hoe jullie wat kunnen bezuinigen. Zodra je een begroting hebt gemaakt, kunnen jullie je uitgaven erop afstemmen. Dat geeft rust.

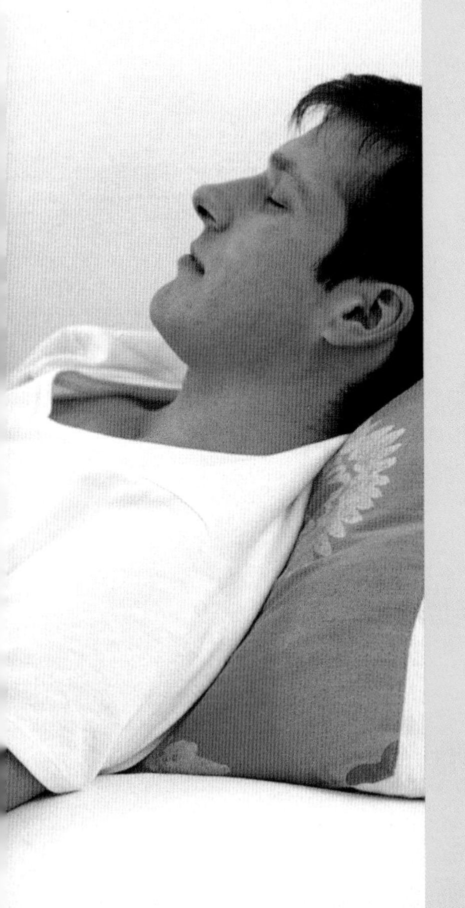

je relatie

Het moge duidelijk zijn dat je partner na de bevalling niet staat te trappelen om meteen jullie seksleven weer op te pakken. Vaak krijgen vrouwen na een week of zes het groene licht van de huisarts of verloskundige, maar de meeste zijn er dan nog helemaal niet aan toe – lichamelijk noch geestelijk. Het kan wel zes maanden duren voordat je partner helemaal is hersteld en hoewel jij je misschien afgewezen

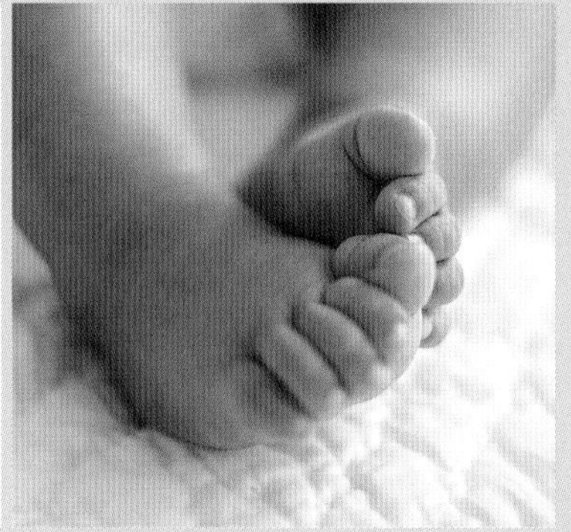

voelt door het gebrek aan intimiteit, gun je je partner de tijd die ze nodig heeft. Dus ga niet zitten mokken, probeer haar niet om te kopen, maar gedraag je als een volwassen man en probeer te begrijpen wat ze allemaal heeft moeten doorstaan. Wat je beter kunt doen, is haar opnieuw het hof maken: koop bloemen, verras haar met cadeautjes of plan een intiem dineetje. Voor je het weet laait de hartstocht weer op.

Het kan ook zijn dat de man even niet aan vrijen moet denken, nadat hij getuige is geweest van de bevalling. In dat geval heeft je partner weer behoefte aan seksueel contact, maar ben jij er nog niet klaar voor. Probeer er dan toch met z'n tweeën overheen te komen. Jullie hebben de bevalling toch ook samen meegemaakt en jullie vormen nu een prachtig gezinnetje. Leg je gevoelens bloot en praat er met elkaar over, zodat jullie samen weer vooruit kunnen.

praktische zaken

wat heb je nodig?

Heb je een superminimalistische smaak, dan ontkom je er helaas niet aan die enigszins bij te stellen. Je zult versteld staan van de enorme omvang van de babyuitrusting. Tijdens een eerste bezoek aan een babyzaak zie je wat er allemaal te koop is.

Gelukkig hoef je niet alles aan te schaffen, maar enkele spullen heb je toch echt wel nodig, zoals een babyzitje voor in de auto. Misschien heb je als aanstaande vader niet zoveel met kleertjes kopen, maar je vindt het vast geweldig om de nieuwste snufjes op babygebied te bekijken.

een andere auto

Met de baby op komst kan het nodig zijn een andere auto aan te schaffen. Niet een snelle, opzichtige bak om te vieren dat je vader wordt, maar een degelijke, ruime wagen.

Tot nu toe heb je een nieuwe auto waarschijnlijk alleen maar uitgezocht op grond van wat jij mooi vond en wat je je kon veroorloven. Nu staan de veiligheid en de behoeften van het gezin ineens voorop.

Je wilt je gezinnetje zo goed mogelijk beschermen. Dus: rijd je nu rond in een versleten, oude rammelbak die zijn beste tijd gehad heeft, dan ben je toe aan een moderne, veilige auto.

Ruimte is net zo belangrijk. Meestal geldt: hoe groter de kofferbak hoe beter. Zodra je baby er is, zal een weekendje of zelfs een dagje weg meer lijken op een complete verhuizing. De buggy gaat mee, maar ook het kampeerbedje, wipstoel, speeltjes, babyfoon, luiertas... de hele santenkraam. En niet te vergeten: je eigen bagage! Zelfs als je je auto hebt ingeruild voor een grotere, kom je soms toch nog ruimte te kort.

Twijfel je tussen een twee- of vierdeurs, bedenk dan dat het in en uit de auto tillen en bevestigen van het babyzitje een behoorlijk inspannend karwei kan zijn. Ga je geregeld op pad, dan is een vierdeursauto geschikter, maar gebruik je de auto haast niet, dan voldoet een tweedeurs ook prima.

je auto uitrusten

Om er zeker van te zijn dat uitstapjes in de auto soepel verlopen, is het de moeite waard de auto goed uit te rusten voor je baby. Bevestig zonneschermpjes (bijvoorbeeld met zuignappen) aan de binnenkant van de ramen om te voorkomen dat de zon in het gezichtje van je baby schijnt. Je kindje houdt niet van zon in de oogjes en zal dat zeker luid en duidelijk laten merken.

Pasgeborenen moeten in een goedgekeurd babyzitje op de achterbank worden vervoerd. Er zijn ook speciale spiegeltjes te koop die je de mogelijkheid geven je kindje onderweg te kunnen bekijken zonder je te hoeven omdraaien. Zet voor lange reizen een tas in de auto met billendoekjes, luiers, spuugdoekjes, hydrofiele luiers, schone kleertjes en wat speeltjes.

De meeste baby's vallen tijdens het rijden vanzelf in slaap, maar sommige kindjes hebben wat extra hulp nodig. Draai bijvoorbeeld een rustgevende cd met slaapliedjes. Zet de muziek uit zodra de baby in slaap is gesust en zet je reis in heerlijke stilte voort.

autozitjes

Een autozitje is van essentieel belang om je kindje veilig te kunnen vervoeren in de auto. Sommige ziekenhuizen geven zelfs geen toestemming je baby mee te nemen naar huis als je geen volgens het ECE-reglement goedgekeurd zitje hebt. Dus schaf er ruim op tijd eentje aan.

Er zijn verschillende soorten autozitjes te koop, afhankelijk van de leeftijd, het gewicht en de lengte van je kind. Baby's tot een jaar oud moeten worden vervoerd in een babyzitje dat omgekeerd op de achterbank wordt vastgemaakt. Zodra je kindje hier uit is gegroeid (na ongeveer negen maanden tot een jaar), is het tijd voor de volgende stap: een kinderautostoeltje met een harnasgordeltje. Beide zitjes worden bevestigd met behulp van een driepuntsgordel op de achterbank of, in moderne auto's, door middel van het zogenoemde Isofix-systeem.

Probeer een zitje altijd eerst even uit in de auto om te kijken of het geschikt is. Koop nooit een tweedehandszitje. Ook al ziet het er nog prima uit, het kan verborgen gebreken hebben.

een buggy/kinderwagen uitzoeken

Loop een autoshowroom binnen en je staat oog in oog met een enorme hoeveelheid verschillende modellen in even zoveel kleuren, uitvoeringen en maten. Een beslissing nemen is niet gemakkelijk en het goed ingestudeerde praatje van de autoverkoper maakt het er niet eenvoudiger op.

Gelukkig hoef je dergelijke opdringerige verkooppraatjes niet te verwachten bij de aanschaf van een buggy of kinderwagen (tenzij je de pech hebt te worden geholpen door een ex-autoverkoper die net van baan is veranderd). Verwacht echter niet dat je binnen vijf minuten weer buiten staat. Veel babysuperstores hebben talloze verschillende modellen in de aanbieding, dus neem rustig de tijd.

Wil je een drie- of vierwieler, een traditioneel model of een super-de-luxe kinderwagen voorzien van de nieuwste snufjes? Volg je het advies van je partner en neem je iets praktisch of ga je helemaal voor die designbuggy, waarmee ook al een aantal beroemdheden gesignaleerd zijn.

Net als bij het kopen van een auto heeft het uitkiezen van een kinderwagen of buggy vooral te maken met je persoonlijke smaak. Rijd je liever in een blinkende sportauto dan in een betrouwbare stationcar, dan zul je eerder kiezen voor een modieus, opvallend model in plaats van een praktisch, degelijk ontwerp dat nauwelijks de aandacht trekt.

Wat je ook kiest, er zijn enkele belangrijke punten waar je op moet letten voordat je de portemonnee trekt. Neem ten eerste de maat op van de kofferbak van je auto. Ik ken mensen die een winkel binnengingen, helemaal enthousiast waren over een bepaald model, dit thuis

lieten bezorgen… en erachter kwamen dat de kinderwagen of buggy niet in de auto paste – of pas na tien minuten wrikken, met schade aan de binnenkant van de auto en kapotte handen ten spijt. Het leven is te kort voor zulk gestuntel, dus neem van tevoren de maat op en voorkom problemen.

Vraag hoe lang je kindje wat aan de kinderwagen of buggy heeft. Pasgeborenen moeten plat liggen, maar dit is niet bij alle modellen mogelijk. Er zijn modellen verkrijgbaar met een verstelbare rugleuning, die kunnen worden gebruikt vlak na de geboorte, maar ook nog als je kindje rechtop kan zitten. Een kinderwagen is speciaal geschikt voor pasgeborenen, maar moet worden vervangen wanneer de baby rond zes maanden oud is en liever wil zitten om de wereld om zich heen te kunnen bekijken.

Sommige buggy's zien eruit alsof ze zo uit een James Bond-film komen. Ze zijn uitgerust met de nieuwste gadgets, zoals verstelbare voetsteuntjes, de modernste zonnekleppen en een oliespuit, zoals die van 007's Aston Martin DB5 uit de film *Goldfinger* (deze laatste heb ik natuurlijk zelf verzonnen). Enkele accessoires zijn best nuttig, maar weet wel: hoe meer snufjes, hoe sneller er iets kapot kan gaan. Dus maak je wel eens wat stuk, neem dan een standaardmodel zonder poespas.

Het is ook mogelijk een buggy via een webwinkel te bestellen, maar heb je een model op het oog, bekijk dit dan altijd eerst in de winkel en probeer het uit (hoe rijdt de buggy, hoe klap je hem op, enz.). Goede reis!

de kinderkamer uitrusten

Het belangrijkste meubelstuk van de kinderkamer is natuurlijk het bedje. Er zijn allerlei ledikantjes en wiegjes te koop, dus is de keuze vooral afhankelijk van de kosten en de stijl van de kinderkamer.

Misschien hebben familieleden of vrienden een bedje dat je over kunt nemen. Mijn beide kinderen hebben hetzelfde ledikantje gebruikt, dat ik heb

gekregen van mijn ouders, die het twintig jaar lang hadden bewaard. Mijn broer heeft er nog in gelegen. Ook wij hebben het weer doorgegeven en nu heeft mijn nichtje het. Waarom een nieuw bedje kopen wanneer je iets kunt recyclen en binnen de familie kunt houden?

Een ander nuttig meubelstuk is de aankleedtafel of commode. Deze heeft bergruimte en een comfortabele hoogte, zodat je je kindje gemakkelijk kunt

verschonen en aankleden. Een goedkoper alternatief is gewoon een aankleedkussen op een ladekast. Laat je kind nooit alleen op de aankleedtafel liggen! Baby's kunnen onverwachte bewegingen maken en er komt een moment dat ze zich om gaan rollen.

Niemand is dol op de geur van vieze luiers, dus leve de reukvrije luieremmer! Hierin wordt elke luier apart luchtdicht verpakt. In de meeste modellen passen 28 luiers.

Er is veel te koop, maar je hebt lang niet alles nodig. Behalve de genoemde spullen zijn de enige echt belangrijke zaken een babyfoon en een thermometer. En natuurlijk een kast voor babykleertjes, beddengoed, handdoeken, luiers, lotion, zalf en...

kleertjes kopen

Meestal word je na de geboorte van je baby overstelpt met kraamcadeaus van vrienden, familie, collega's en buren. Soms zijn er originele geschenken bij die een leven lang meegaan of is er iets leuks bij voor de ouders (champagne of een fles whisky voor mij graag), maar mijn ervaring is dat het vooral kleertjes zijn. Niet gewoon een paar kleertjes, nee... stapels.

Deze kleertjes komen natuurlijk goed van pas, maar de baby groeit zo snel dat hij of zij ze waarschijnlijk niet eens allemaal heeft gedragen als je alweer op pad moet voor een grotere maat. Probeer het zo te regelen dat jullie zelf de meeste kleertjes kopen en vraag de visite bijvoorbeeld om kleertjes die je baby na zes maanden of zelfs een jaar aan kan.

Dus wat heb je nodig? Welnu, in de klerenkast van een pasgeborene horen slabbetjes, spuugdoekjes, mutsjes, wantjes (ook tegen het krabben) en sokjes. Ook heb je boxpakjes, rompertjes, overslaghemdjes, katoenen broekjes en truitjes nodig. Hoe meer je van alles hebt, hoe minder vaak je hoeft te wassen. En denk ook aan een paar vestjes en een warm jasje en dekentje, die je nodig hebt wanneer je voor het eerst met je kindje naar buiten gaat.

veiligheid

De doeltreffendste manier om je baby te beschermen is om je eigen ogen, verstand en intuïtie te gebruiken, maar er zijn een aantal handige hulpmiddelen die voor gemoedsrust zorgen wanneer je even niet in hetzelfde vertrek als je kind kunt zijn.

Met een babyfoon hoor je elk geluid van je kindje wanneer het in zijn bedje ligt. Een babyfoon bestaat vaak uit twee apparaten. Eentje zet je vlak bij het babybedje, het andere zet of draag je bij je, of je nu in de keuken het eten aan het bereiden bent, in de tuin werkt of heerlijk ontspannen voor de tv zit.

Er zijn ook babyfoons met speakers waardoor je tegen je kindje kunt praten of slaapliedjes kunt afspelen om je kindje tot rust te brengen. Er zijn babymonitors met ingebouwde camera's en zelfs 'nachtkijkers', waarmee je je kindje in het donker kunt zien.

Wat je kiest hangt af van je eigen voorkeur, maar neem indien mogelijk een babyfoon met thermometer, die de temperatuur in de babykamer aangeeft. Zo kun je de temperatuur in de kamer van je kindje altijd goed in de gaten houden, die moet namelijk tussen 16 en 20 °C liggen.

Een ander apparaatje dat je mogelijk prettig vindt, is een apneumonitor. Deze wordt onder de luier van je baby bevestigd en geeft een signaal bij een ademhalingsstop (apneu).

Zodra je kindje mobiel wordt, zul je je huis kindveilig moeten maken met traphekjes door het hele huis, afdekplaatjes op de stopcontacten, ladestoppers, fornuisrekje, enz.

speeltjes uitzoeken

Je wilt het liefst zo snel mogelijk een racebaan, een helikopter met afstandsbediening of een voetbaltafel kopen, maar bedwing jezelf. Ben jij zo'n vader die het krijgen van een kindje als goed excuus ziet om het speelgoed te kopen dat je zelf

nooit hebt gehad, dan zul je nog even geduld moeten hebben tot je kind er klaar voor is.

Pasgeboren baby's zijn snel tevreden. Ze doen nog niet veel en vermaken zich prima met slechts een paar speeltjes. Aangezien ze veel tijd in de box doorbrengen, is een mobiel dat je erboven kunt hangen de moeite waard. Sommige hebben een muziekje, dat zelfs kan helpen je baby in slaap te sussen. Een speelkleed is altijd welkom. Baby's vinden het heerlijk om te rollen en trappelen op kleden van patchwork of ander materiaal. Deze kleden zijn er ook met bogen waaraan allerlei rammelaars en spiegeltjes hangen. Ze blijven de baby boeien tot hij of zij begint te kruipen.

Baby's vinden zachte boekjes heel interessant, want die hebben hoekjes waar lekker op gesabbeld en gekauwd kan worden. Kies voor boekjes met felle, contrasterende kleuren. En stimuleer je baby's muzikale talent met zachte rammelaars die je om de enkeltjes of polsjes kunt binden. Je baby merkt al snel dat hij of zij geluid kan maken door met zijn of haar beentjes of armpjes te bewegen.

Tenzij je als aanstaande vader dit boekje in een adem hebt uitgelezen, heb je inmiddels het hele proces van vader worden doorstaan. De voorbereidingen, de geboorte en de eerste spannende, maar heerlijke maanden als vader van een gezin zitten erop. Voor sommigen misschien een koud kunstje, voor anderen een ware krachttoer. Maar je hebt het gered! Gefeliciteerd! Je bent nu niet langer een jonge vader die nog veel moet leren, maar een ware expert in het vaderschap. Je kunt trots zijn op jezelf!

gefeliciteerd! het is je gelukt!

fotoverantwoording

b= boven, o = onder, r = rechts, l = links, m = midden

© Ryland Peters & Small, alle foto's, behalve:

© Stockbyte
blz. 6, 11, 13l, 16, 17, 18, 21, 23r, 29, 33, 43r, 44, 53, 55 inzet, 57, 71, 110, 111

met toestemming van Mamas & Papas
www.mamasandpapas.com
blz. 2-3, 45, 46, 47, 58, 60-61, 83, 89, 91, 92

Photolibrary.com
blz. 32, 42, 84, 87, 88

met toestemming van Stokke Care
www.stokke.com
blz. 64

Babyarchive.com
Catherine Benson blz. 66l
Poppy Berry blz. 78

opdrachtfotografie
© Ryland Peters & Small

Peter Cassidy
blz. 62

Vanessa Davies
blz. 86

Chris Everard
blz. 24

Winfried Heinze
blz. 5, 63, 70, 73o, 94-95 het huis van Sophie Eadie in Londen (The New England Shutter Company www.tnesc.co.uk), 96l en 97 Malin Iovino Design (iovino@btconnect.com), 104 (www.grosfeldvandervelde.nl)

Daniel Pangbourne
blz. 20, 107l

Kristen Peres
blz. 27, 28, 49, 52

Claire Richardson
blz. 1, 31, 59, 68-69

Debi Treloar
blz. 8, 13r, 14l, 19, 26, 41, 66r, 72, 82, 99, 100, 101

Polly Wreford
blz. 4, 7, 10, 12, 14r, 15, 22, 23l, 25, 30, 34, 35, 36, 38, 40, 43l, 48, 50, 51, 54, 55 achtergrond, 56, 65, 67, 73b, 74l, 74r, 75, 76-77, 77, 79l, 79r, 80, 94l, 94m, 96r, 98, 102, 103, 105, 106, 107r, 108-109